Manual del espía

TOP SECRET

SECURITY

LIBSA

1. Los jeroglíficos egipcios y la piedra Rosetta

En el Antiguo Egipto existieron tres sistemas de escritura: el jeroglífico, el hierático y el demótico.

De los tres, el de jeroglíficos era el más antiguo y se usó desde el año 3100 a. C. hasta el 400 d. C. Este sistema se creó casi como un código secreto, puesto que el pueblo, generalmente analfabeto, no podía comprenderlo y solo los sacerdotes o las clases privilegiadas podían acceder a su estudio. De este modo, las personas sencillas miraban las inscripciones talladas en la piedra de los templos con reverencia y respeto, como si miraran algo tan incomprensible como mágico, creyendo que era el lenguaje de los dioses y de hecho lo llamaban «palabras divinas».

Hasta tal punto se creía que los jeroglíficos eran divinos, que se pensaba que tenían el poder de otorgar la vida a lo que representaban y por eso se escribían los nombres de los reyes en sus tumbas, para darles la vida eterna. Borrar el nombre o cambiarlo por otro significaba «matar» al propietario, es decir, condenarlo a la no existencia, porque aquello que no podía nombrarse no era real. Naturalmente, las clases dirigentes aprovecharon esta ignorancia para manipular al pueblo y tenerlo bajo su control. Durante siglos los jeroglíficos egipcios fueron un enigma para los aventureros que llegaban a Egipto a estudiar su cultura, hasta que en 1808 el investigador francés Jean Françoise Champollion estudió la famosa piedra Rosetta, una roca de basalto negro descubierta durante la ocupación napoleónica de Egipto en 1799. Esta piedra contenía una inscripción en tres tipos de escritura: la primera era el griego y las otras dos, entonces desconocidas, resultaron ser la traducción al sistema jeroglífico y al demótico. Champollion dedicó años a su estudio y finalmente pudo descifrar dos nombres: el de Ptolomeo y el de Cleopatra; a partir de esto consiguió descifrar todo el texto: en realidad, solo era un documento que detallaba las generosas donaciones del

rey Ptolomeo V a los templos, pero ¡podía haberse tratado de un tesoro escondido! Sus investigaciones fueron la referencia y el punto de partida para todos los egiptólogos posteriores.

En cualquier caso, los jeroglíficos hoy siguen siendo una fuente de misterio porque… ¿cuántas

Piedra Rosetta

personas conoces que sepan descifrarlos? Te damos a continuación un alfabeto jeroglífico y su correspondencia en español. Si tú y tus amigos os aprendéis los símbolos, podréis enviaros mensajes en clave que nadie (o casi nadie) entenderá.

El alfabeto español en jeroglíficos*

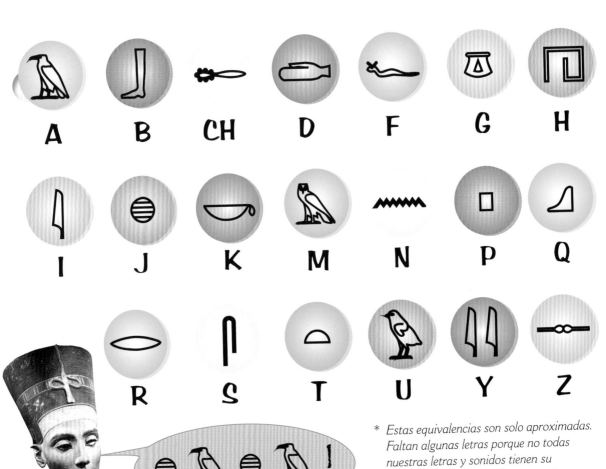

* Estas equivalencias son solo aproximadas. Faltan algunas letras porque no todas nuestras letras y sonidos tienen su correspondencia jeroglífica, pero siempre puedes inventártelas dibujando animales exóticos.

¿Qué faraones han dejado aquí su firma?

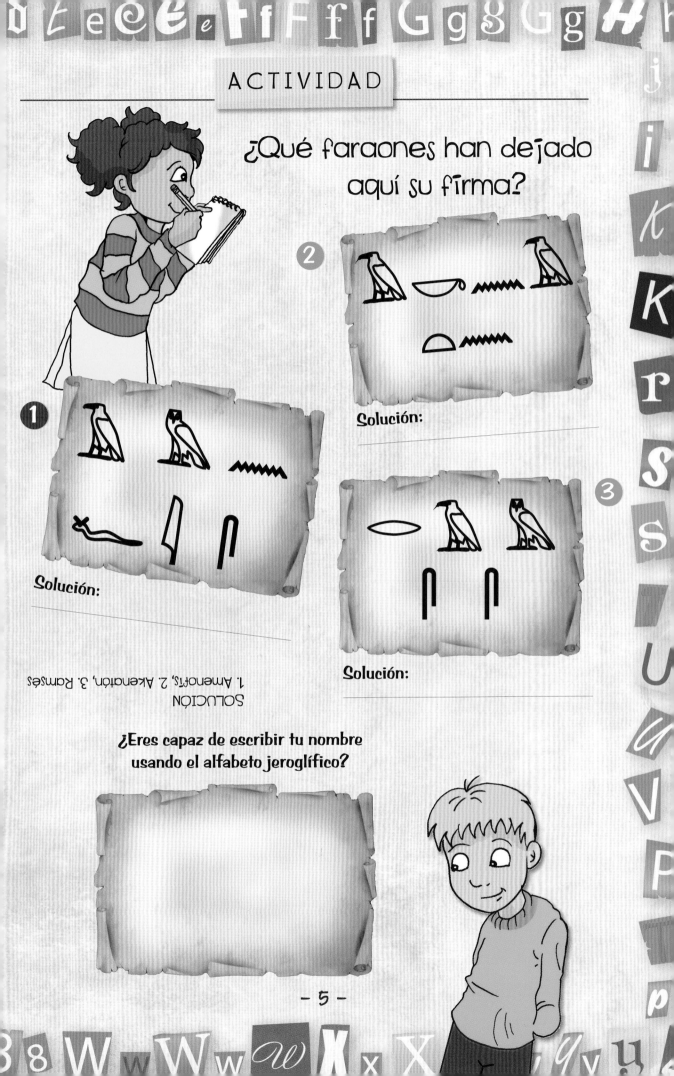

2

Solución: _____

1

Solución: _____

3

Solución: _____

¿Eres capaz de escribir tu nombre usando el alfabeto jeroglífico?

2. La escritura cuneiforme babilónica

Entre los siglos IX y VII a. C. apareció en Mesopotamia un sistema de escritura muy peculiar llamado cuneiforme.

Se trataba de escribir símbolos presionando sobre una tablilla de arcilla con una cuña. Al endurecerse después esa arcilla, quedaban las marcas grabadas de forma perenne. Al principio los hombres mesopotámicos escribieron dibujos o pictogramas que representaban más o menos la realidad o al menos recordaban a ella. Después, para simplificarlos y escribirlos más deprisa, fueron haciendo estos dibujos de una manera más abstracta, hasta llegar al símbolo cuneiforme, que poco o nada se parece a la realidad.

El rey de Babilonia Hammurabi escribió el documento más famoso que nos ha llegado en escritura cuneiforme: el Código de Hammurabi, una piedra negra de dos metros de altura con aspecto de columna. En ella estaba grabado el primer código de leyes conocido en la humanidad y se supone que se hicieron muchas copias y se distribuyeron por todo el reino para servir de base jurídica. Sin embargo, lo cierto es que salvo los sacerdotes y los escribas, nadie entendía esta escritura y por lo tanto no dejaba de ser un código secreto para el pueblo, que tenía que fiarse de la palabra de sus dirigentes.

Hemos encontrado para tus mensajes secretos un alfabeto del persa antiguo en el que

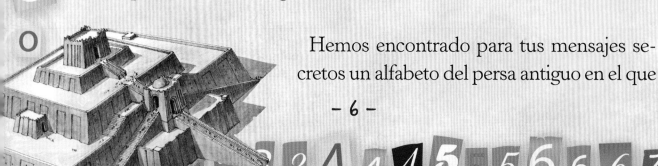

hay signos que equivalen a una letra y otros que equivalen a dos. No están todas, pero sí muchas y algunos números. Siempre puedes ejercer de Hammurabi e inventarte símbolos nuevos.

Persa antiguo

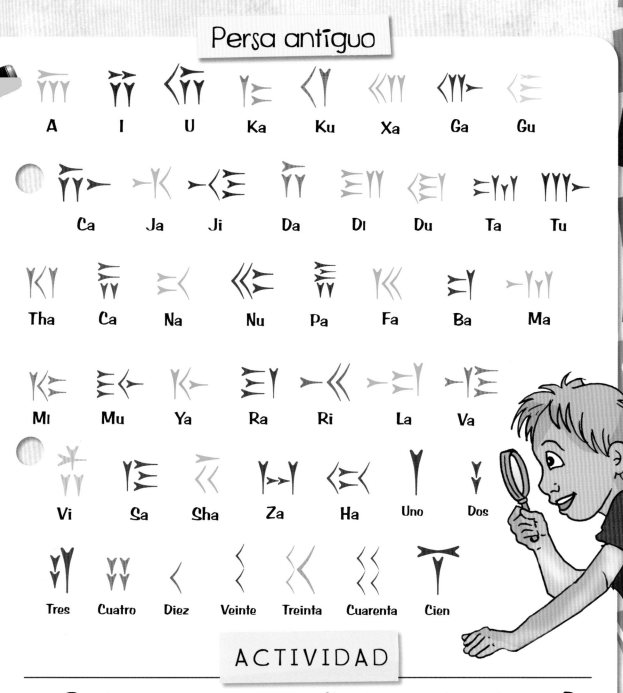

A I U Ka Ku Xa Ga Gu

Ca Ja Ji Da Di Du Ta Tu

Tha Ca Na Nu Pa Fa Ba Ma

Mi Mu Ya Ra Ri La Va

Vi Sa Sha Za Ha Uno Dos

Tres Cuatro Diez Veinte Treinta Cuarenta Cien

ACTIVIDAD

¿Qué mensaje se oculta tras estos signos?

Solución:

3. La «scitala» espartana

Vamos a explicarte el primer método conocido que se utilizó como código secreto en la Antigüedad.

El historiador griego Plutarco cuenta cómo era este método para escribir y después descifrar fácilmente un código secreto. Este sistema se usó durante la Guerra del Peloponeso que enfrentó a Esparta y Atenas desde el año 431 hasta el 404 a. C.

Se trataba de fabricar dos varas de madera (llamadas «scitalas» en Grecia) que eran exactamente iguales. Una de ellas se la llevaba un general al frente de batalla y la otra se la quedaba su contacto en la ciudad. Cuando deseaban hacerle llegar un mensaje, los generales enrollaban una tela en la vara y escribían encima; después lo desenrollaban y el mensaje quedaba ilegible. Solo podría volver a leerse enrollándolo de nuevo en la vara del mismo diámetro y así, los generales espartanos podían enviar información secreta sin peligro de que sus enemigos lo descubrieran.

Ahora vamos a hacer una «scitala» casera. Para ello necesitarás un lapicero, tijeras, papel y bolígrafo.

Cómo hacer una «scítala»

1 Corta una tira fina de papel (cuanto más larga, mejor) y enróllala en el lapicero tal y como muestra la figura:

2 Mantén la tira firme por los dos lados (puedes pegarla con un poco de celo) y escribe encima tu mensaje secreto, como se muestra en la figura:

3 Desenrolla la tira de papel y comprueba tú mismo que no se puede leer nada:

Si lo vuelves a enrollar lo leerás fácilmente. Esta técnica te permitirá mandar mensajes secretos a tus amigos, pero asegúrate primero de que todos tenéis el mismo modelo de lápiz.

Otra técnica empleada por los griegos en la guerra era la de afeitar la cabeza de un mensajero y escribir en ella la información secreta. Después se dejaban pasar los días para que le creciera el pelo y se le enviaba a entregar el mensaje. Si los enemigos lo encontraban, no sospecharían que el mensaje estaba, literalmente, en su cabeza.

4. El cifrado monoalfabético de Julio César

El gran general Julio César inventó un ingeniosísimo sistema para enviar mensajes secretos durante sus campañas militares sin que le descubrieran jamás.

Quizá hoy os parezca un sistema ingenuo o simple, pero entonces funcionó muy bien. Lo que Julio César pensó fue sustituir cada letra del abecedario por la letra situada tres lugares más allá en el orden alfabético de esta manera:

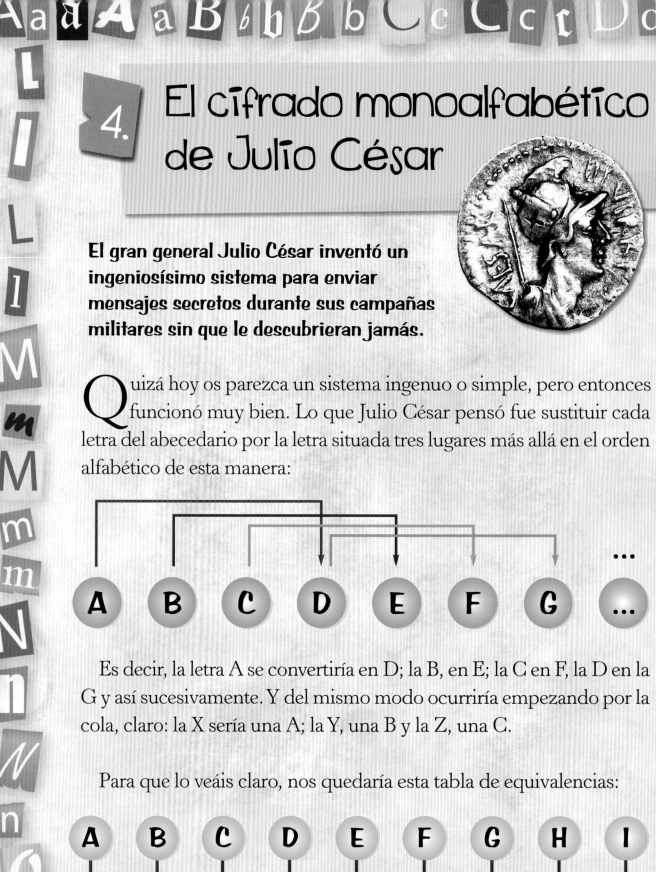

Es decir, la letra A se convertiría en D; la B, en E; la C en F, la D en la G y así sucesivamente. Y del mismo modo ocurriría empezando por la cola, claro: la X sería una A; la Y, una B y la Z, una C.

Para que lo veáis claro, nos quedaría esta tabla de equivalencias:

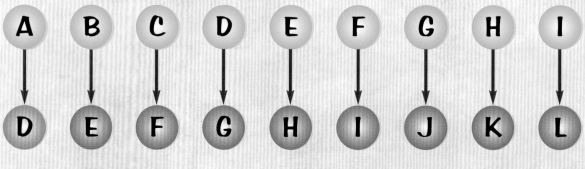

1

Pongamos por caso que Julio César quiso enviar este mensaje a sus legiones, que estaban combatiendo en las Galias:

> QUE · AVANCE ·
> LA · PRIMERA ·
> CENTURIA ·
> POR · EL · SUR

2

Pero, naturalmente, no deseaba que sus enemigos se enterasen de sus planes, así que usó su cifrado monoalfabético y escribió:

> TXH · DYDPFH ·
> ÑD · SULOHUD ·
> FHPWXULD ·
> SRU · HÑ · VXU

3

Y, para hacerlo aún más difícil, suprimió los espacios entre las palabras, así que sus generales recibieron este mensaje:

> TXHDYDPFHÑD
> SULOHUD
> FHPWXULD
> SRUHÑVXU

Sabías que...

Aparentemente es un cifrado muy débil y poco seguro, pero en la época de Julio César no era de conocimiento general la idea de ocultar el significado de un texto mediante cifrado. De hecho, que un mensaje estuviese por escrito ya era un modo de asegurar la confidencialidad frente a la mayoría de la población analfabeta de la época.

Solo tuvieron que sustituir cada letra por la que estaba tres posiciones anteriores y volver a separar las palabras. Pero, claro, los generales tenían la tabla de equivalencias en su poder.

Recuerda que este fue el primer sistema monoalfabético que existió, pero después se ingeniaron muchos más y de diversa dificultad: saltándose, en lugar de tres posiciones, dos, cuatro, ocho, etc. ¿Por qué no pruebas a fabricar el tuyo propio?

CÓDIGOS SECRETOS... EN LA HISTORIA

El primer tratado importante sobre criptografía lo escribió Leon Battista Alberti (siglo XV); en él explicaba el uso de unos discos que se movían para cifrar y descifrar mensajes rápidamente.

ACTIVIDAD

Mensajes romanos

Adivina lo que decían estos mensajes:

DE CLEOPATRA A JULIO CÉSAR:

DBHUPDFLRWXK
LMRFHVDULRP·
YHPDYHUÑH

DE JULIO CÉSAR A BRUTO:

¡WXWDOELHP,
KLMROLR!

Solución:
_____
_____
_____
_____

Solución:
_____
_____
_____

SOLUCIÓN: Izquierda: Ayer nació tu hijo Cesarión. Ven a verle. Derecha: ¡Tú también, hijo mío!

¡Qué curioso!

Julio César era un gran estratega militar y un hombre que además contaba con mucho carisma personal, gran ambición, valentía y habilidad… Perfeccionó las tácticas militares que no solo le deben las bases de la criptografía, sino que tomaron de él ideas de movimientos de tropas, cómo sitiar una ciudad y forzar su rendición o el uso de la famosa «tortuga» romana, que consistía en la marcha de una legión con todos los soldados situados unos junto a otros formando un rectángulo en el que, tanto por arriba como por los lados, los soldados se cubrían con los escudos dejando ver un inmenso cascarón de hierro similar al caparazón de una tortuga gigantesca.

5. El cifrado de María Estuardo

La reina de Escocia María Estuardo era prima de Isabel I de Inglaterra y, si esta última moría sin descendencia, ella sería la sucesora por derecho.

La ambición de ambas reinas había creado una gran antipatía entre ellas, hasta el punto de que María Estuardo comenzase a conspirar contra su prima, con la intención de arrebatarle el trono.

En aquella época, las intrigas, sobre todo en los palacios de la realeza, eran muy habituales, hasta el punto de que Isabel I creó una verdadera policía secreta bajo el mando de Francis Walsingham. Desde un principio, este hombre sospechó de María Estuardo, que llevaba veinte años encerrada y bajo vigilancia. María se había puesto en contacto con don Juan de Austria y otros nobles que también deseaban la caída de la reina Isabel; cada cierto tiempo se enviaban cartas con información e instrucciones y habían tomado la precaución de escribirlas en clave. María tenía un nomenclátor, es decir, un amplio documento o libro donde estaban las soluciones a cada símbolo que se empleaba. Para que comprendáis lo que es un nomenclátor, pensad en un mapa de carreteras: para señalar las ciudades, carreteras principales, gasoline-

Isabel I

ras, hoteles, zonas de interés turístico, etc., se emplean signos o pictogramas que suelen ser dibujitos que recuerdan a lo que se quiere señalar (por ejemplo, un hospital puede aparecer señalado con una cruz roja). Normalmente, en el margen del mapa aparece una lista con todos los símbolos que se usan y, escrito al lado, su significado en palabras. Esto es un nomenclátor. María Estuardo empleó todo tipo de técnicas conocidas hasta entonces en el cifrado de mensajes secretos: sustitución de letras por símbolos inventados, de unas letras por letras diferentes, por números, o grupos de letras por otros grupos de letras y números.

A	B	C	D	E	F	G	H
o	‡	∧	⊞	ꝺ	▢	θ	∞

I	K	L	M	N	O	P	Q
I	♂	ꝗ	‖	∅	∇	ƽ	ꟽ

R	S	T	U	X	Y	Z
ƒ	△	Ɛ	c	7	8	ꝯ

Para descodificar esos mensajes tenía su nomenclátor y se creía muy segura, pensando que nadie podía descubrirla ni entender el mensaje. Sin embargo, los criptógrafos de Isabel I a las órdenes de Walsingham pusieron en manos del experto Thomas Phelippes uno de esos mensajes y consiguió descifrarlo, descubriendo la conspiración de María, que proyectaba asesinar a su prima. Acusada de traición, María fue decapitada en 1578.

¿Por qué no intentas hacerte tu propio nomenclátor con símbolos secretos para ti y tus amigos? Para ayudarte, te damos esta idea:

ACTIVIDAD

El mensaje de María Estuardo

¿Qué mensaje pudo enviar María Estuardo? Fíjate en el nomenclátor que te damos en las páginas 15 y 16:

Solución:

_____

_____

_____

SOLUCIÓN: La reina Isabel estará sola esta noche.

6. El misterioso mensaje de la máscara de hierro

A finales del siglo XVII, en el ducado de Saboya, los aldeanos estaban muy intrigados porque en la prisión de Pignerol se podía ver pasear por las almenas a un extraño prisionero que llevaba una máscara de hierro cubriéndole el rostro y que estaba bien vigilado de cerca por los soldados.

Nadie sabía quién era, pero se rumoreaba que era alguien influyente, pues se le trataba de un modo especial, con cortesía y con ciertos lujos. En cierta ocasión, el prisionero dejó caer un mensaje desde lo alto que recogió un campesino. Los guardianes lo apresaron y el pobre hombre tuvo que demostrar que no sabía leer ni escribir para que le soltaran. Lo cierto es que, aunque hubiera sabido leer, de poco le habría servido, pues el texto estaba escrito en una clave secreta muy difícil de comprender.

El misterioso prisionero de la máscara de hierro terminó preso en la Bastilla, en París, y todos conoceréis seguramente la leyenda que hay sobre él acerca de que nadie ha podido demostrar quién era, aunque el escritor Alejandro Dumas inventó la historia de que se trataba de un hermano gemelo del rey Luis XIV.

Nosotros te vamos a dar una explicación que tiene mucho que ver con el mensaje en clave que intentó enviar a través de aquel campesino… El mensaje se envió a diversos especialistas en el arte de la criptografía y de los códigos secretos, pero no fue

Bastilla

hasta finales del siglo XIX cuando un experto llamado Etiènne Bazeries lo descifró. Dicho mensaje estaba formado por una serie de números que se repetían aleatoriamente sin aparente orden ni concierto. El investigador se dio cuenta de que cada número representaba una sílaba, de manera que buscó la sílaba más frecuente en francés y le asignó el número que más veces se repetía. Con este método, terminó descifrando el mensaje, que era una carta donde se contaba que el general Boulonde había sido encerrado en la prisión de Pignerol, donde estaba en una

Alejandro Dumas

Luis XIV

????

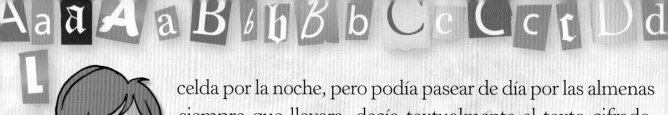

celda por la noche, pero podía pasear de día por las almenas siempre que llevara, decía textualmente el texto cifrado, «330». El 330 fue el único número que no pudo descifrar, pues solo aparecía una vez, pero supuso, porque conocía la historia del prisionero, que 330 significaba «máscara». ¿Sería ese general Boulonde el misterioso prisionero de la máscara de hierro? Quizá ahora veas muy claro que era él, pero la historia no acaba aquí: hay datos históricos que confirman que el hombre de la máscara de hierro murió en la prisión de París en 1703, mientras que otros documentos demuestran que el general Boulonde murió en 1708… Este es uno de los misterios sin resolver que rodean al mundo de los códigos secretos.

El sistema de otorgar un número a las sílabas más frecuentes en francés era muy ingenioso, así que ahora te ofrecemos algo similar, pero con la lengua española. La letra que más usamos en español es la E y tenemos para ti la lista de letras más utilizadas en español por orden de importancia, de modo que:

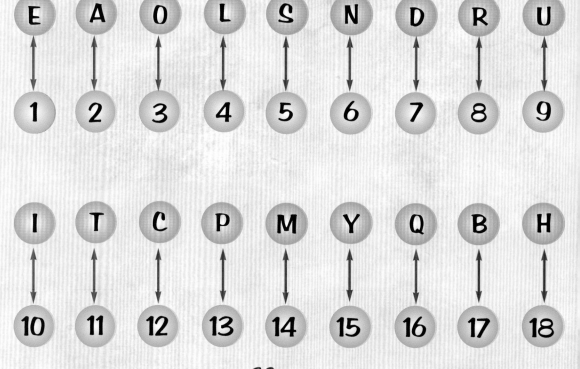

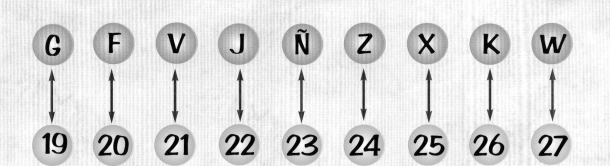

G	F	V	J	Ñ	Z	X	K	W
↕	↕	↕	↕	↕	↕	↕	↕	↕
19	20	21	22	23	24	25	26	27

Si a cada letra le otorgamos un número por orden de importancia según su frecuencia de uso en español, al escribir, por ejemplo,

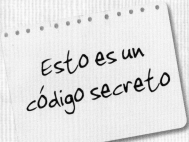

Esto es un código secreto

resultaría:

1-5-11-3-1-5-
9-6-12-3-7-10-
19-3-5-1-12-
8-1-11-3

ACTIVIDAD

El mensaje de la máscara

¿Eres capaz de descifrar este mensaje?
(Fíjate en la lista de las páginas 20 y 21).

```
1 4 18 3 14 17 8 17 1
4 2 14 25 12 28 27 1
18 10 1 8 8 3
1 5 9 6 14 10 5 11 1 8 10 3
16 9 1 6 3 5 1 8 1 5 3 4 21
1 8 2 22 2 1 14 2 5
```

Solución:

_____

_____

_____

_____

7. Cómo fabricar tinta invisible

La tinta invisible, que sirve para esconder información a los ojos indiscretos, ya fue usada por los romanos.

El poeta Ovidio recomienda a los amantes que escriban sus notas y cartas secretas con leche fresca porque aunque se seque, la leche deja un rastro pegajoso y pringoso muy útil cuando se espolvorea sobre ellas hollín en polvo. El hollín se deposita y se queda pegado al rastro de leche y así puede leerse fácilmente.

Sin embargo, este método es ciertamente engorroso y por eso durante el siglo XVIII se inventó otro en Inglaterra: usar zumo de limón. La tinta invisible era utilizada por los diplomáticos dedicados más bien a la conspiración y al espionaje entre los reinos, pero también por todos los amantes que huían de las prohibiciones paternas. Dicen que el famoso Casanova fue uno de los usuarios más fieles a la tinta invisible.

Cómo fabricar tinta invisible casera

Te vendrá muy bien aprender a fabricar tu propia tinta invisible para enviar mensajes secretos sin dejar rastro después, igual que los agentes secretos y detectives de la historia.

1 Para empezar, necesitarás una hoja de papel blanco, el zumo de un limón exprimido en una tacita y un pincel fino.

2 Debes untar el pincel en el zumo y escribir con cuidado sobre el papel.

3 Cuando el zumo se seque, no quedará ninguna marca y parecerá que nadie ha escrito nada, es decir, que el papel sigue en blanco.

4 Para leerlo es suficiente con pasar sobre el papel una plancha caliente o meterlo unos segundos en el horno, porque en cuanto el papel se caliente aparecerán las letras escritas.

8. Separaciones y agrupaciones traidoras

Este es un sistema muy sencillo, pero ¡cuidado!, debes saber que es también bastante fácil de descubrir, así que lo mejor será que lo uses poco.

Como sabes, nosotros escribimos frases formadas de palabras y cada palabra lleva un espacio antes y otro después para indicar que va suelta. Imagina que quieres mandar el siguiente mensaje secreto a tu contacto:

> Me persiguen
> así que hoy no
> podré verte

Son ocho palabras, ¿verdad? Ahora suprime los espacios que hay entre ellas y escríbelas todas seguidas:

> Mepersiguenasíq
> uehoynopodréverte

Ahora separa las letras de forma aleatoria y caprichosa, sin sentido y sin orden, de modo que quede desordenado, así:

> Mepe rsi gue na
> síqu eho yno pod
> rév erte

¿Verdad que ahora tiene un aspecto totalmente incomprensible? Pues aún será más difícil si lo pones en varias columnas, así:

> Mepe rsi gue
> na síqu eho
> y nopod
> rév erte

Cuando tu contacto lo reciba solo tendrá que hacer los pasos inversos: volver a escribir todas las letras seguidas y poner de nuevo los espacios en los lugares que les corresponden.

El cifrado inverso

Los detectives y espías normalmente necesitan tener recursos rápidos a su alcance, ya que en muchas ocasiones su habilidad será la clave para resolver un caso o evitar que les descubran.

El sistema del cifrado inverso presenta esas cualidades: es muy fácil de entender y de aplicar y además resulta bastante divertido porque se obtienen resultados absurdos y sonoros muy graciosos. Se trata de escribir el mensaje secreto exactamente al revés de como lo escribirías normalmente. Para que lo entiendas te pondremos un ejemplo: la frase ODNAGELL YOTSE no te dice nada, ¿verdad?, pues prueba a escribir todas sus letras justamente al revés, de manera que la última sea la primera y así sucesivamente:

ODNAGELL YOTSE
ESTOY LLEGANDO

Como ves, el sistema es muy sencillo de cifrar y de descifrar en cualquier momento. Incluso hay una variante más fácil aún: en lugar de escribir cada letra al revés, prueba a escribir las sílabas al revés:

DOGANLLE
TOYES

Aprende a descifrar con Sherlock Holmes

El gran escritor Arthur Conan Doyle fue el creador de ese personaje tan famoso que destaca como el detective entre los detectives: Sherlock Holmes.

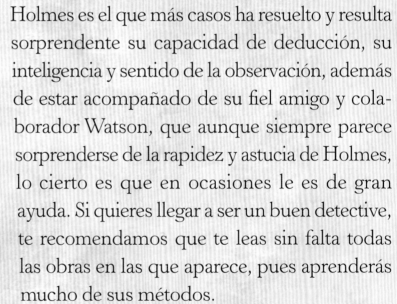

Seguro que sabes de quién estamos hablando y te resulta familiar su aspecto: lleva una capa oscura, una gorra y una lupa. De entre todos los detectives, Sherlock Holmes es el que más casos ha resuelto y resulta sorprendente su capacidad de deducción, su inteligencia y sentido de la observación, además de estar acompañado de su fiel amigo y colaborador Watson, que aunque siempre parece sorprenderse de la rapidez y astucia de Holmes, lo cierto es que en ocasiones le es de gran ayuda. Si quieres llegar a ser un buen detective, te recomendamos que te leas sin falta todas las obras en las que aparece, pues aprenderás mucho de sus métodos.

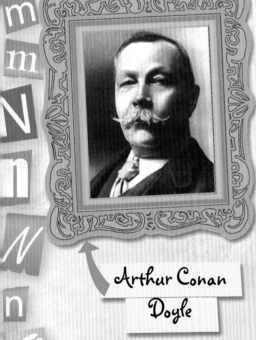

Arthur Conan Doyle

Lo que ahora nos interesa es hablar sobre cierta aventura que puedes buscar en el libro de relatos titulado «El retorno de Sherlock Holmes»; se trata de una historia llamada «Los bailarines». En esta ocasión, un hombre invita al detective para pedirle que investigue algo que le preocupa: su joven y reciente esposa parece estar amenazada por un desconocido que le hace llegar mensajes en clave. El primer mensaje estaba compuesto por 15 figuritas humanas en distintas posiciones que parecían estar danzando. Aunque Sherlock Holmes sospechaba que se trataba de alguna clave secreta y que probablemente cada muñequito representaba una letra, no podía hacer nada porque carecía del material suficiente para investigar. Poco tiempo después, la mujer recibió más mensajes y entonces el detective pudo empezar su sistema lógico de deducción. Primero entendió que los muñequitos que más veces se repetían debían corresponderse con la letra más habitual, que en inglés, y también en español, es la E. Después fue aplicando este método de frecuencia de las letras en el idioma y finalmente, descubriendo que los muñequitos que llevaban una bandera en la mano indicaban un espacio entre unas palabras y otras, consiguió descifrar el mensaje por completo.

En esta ocasión Sherlock Holmes no llegó a tiempo: el misterioso escritor de los mensajes era un hombre enamorado de la mujer y que odiaba a su marido. Sentía una pasión tan desatada, que disparó contra él, matándolo. La esposa resultó herida de gravedad y el asesino, sorprendido por la perspicacia de Holmes y en parte arrepentido por haber causado tanto mal a su amada, cayó en manos de la policía. Podríamos escribir aquí los mensajes secretos que descifró Sherlock Holmes, pero como están en inglés, la verdad es que os resultaría algo extraño, por eso nos vamos a limitar a daros las correspondencias de los bailarines con las letras del abecedario en español y así podréis escribir mensajes secretos aprovechando las enseñanzas del mejor detective del mundo.

A B C D E F G H I J K L M N

O P Q R S T U V W X Y Z

¿Sabías que...

Sir Arthur Conan Doyle era en realidad médico, aunque solo ejerció la profesión durante cinco años, puesto que obtuvo tanta fama por sus novelas, que se dedicó a escribir profesionalmente. Se cuenta que para crear el famoso personaje de Sherlock Holmes se inspiró en el modelo de uno de sus profesores de universidad, al que admiraba por su increíble capacidad de deducción. Una anécdota verdaderamente curiosa es que la famosísima frase «Elemental, querido Watson» no aparece escrita ni una sola vez en ninguna de las novelas de Sherlock Holmes.

Separaciones y agrupaciones traidoras

**¿Puedes descifrar estos mensajes que encontramos
ayer en la basura?**

ELT ESO ROES
TÁESC ONDI DOCU
A TRO GR AD
OSALS UR

CU IDA
DOTEE STÁ NVIG
ILAN DODESDE E
LBA L CÓ N

Solución:

El cifrado inverso

¿Serías capaz de adivinar de qué cuento estamos hablando?

BAI TACIRUPECA JARO POR EL
QUEBOS Y ¡ZAS!, UN BOLO
—¡OH, UN BOLO QUE BLAHA! –
MÓCLAEX TACIRUPECA
—¿DEDÓN VAS, TACIRUPECA JARO? –
TÓGUNPRE EL BOLO...

Solución:

Elemental, querido Watson

Ponte una gorra, elige tu lupa e intenta ejercer
como detective al estilo de Sherlock Holmes:
tendrás que descifrar este siniestro mensaje
enviado por un asesino a su víctima.

Solución:

La máquina «Enigma»

En los primeros años de la Segunda Guerra Mundial, los aliados estaban sorprendidos de su derrota ante Alemania.

Algo que se les escapaba de las manos jugaba a favor de los nazis y había logrado su avance en muy poco tiempo, utilizando técnicas de campaña novedosas y tomando París en poco más de un mes.

El secreto de Hitler era un aparato parecido a una máquina de escribir portátil cuyo mecanismo interior no era otra cosa que una máquina para encriptar, es decir, para escribir de modo automático un mensaje en clave y descifrarlo después en poco tiempo: la máquina «Enigma». Un soldado introducía un papel en la «Enigma» y escribía su mensaje; los rodillos y circuitos interiores hacían que, en lugar de escribirse normalmente, aparecieran códigos misteriosos, secretos y muy difíciles de entender. De este modo el ejército nazi sorprendía siempre a su enemigo y se sentía muy seguro, pero un descuido hizo que su suerte cambiara.

¿Sabías que...

El mecanismo de la «Enigma» funcionaba así: en el interior había tres cilindros con letras (las máquinas de escribir tenían solo uno en el que cada letra se correspondía a su letra escrita al teclear). Los cilindros iban girando según se introducían las letras y así cada letra tecleada se transformaba en otra sin orden ni concierto. Para descodificar el mensaje los alemanes establecían cada día en qué posición debían colocarse los tres cilindros a la hora de empezar a escribir.

Colossus

Resultó que un muchacho polaco de gran inteligencia pudo abrir la «Enigma» mientras los alemanes estaban en su territorio, siendo capaz de comprender su funcionamiento hasta el punto de crear otra máquina igual a modo de duplicado. Cuando Polonia pasó a formar parte del ejército aliado, esta copia en manos del servicio de espionaje francés e inglés fue la mejor ayuda para ganar la guerra, pues los mensajes que los generales alemanes y Hitler se intercambiaban eran interceptados, descifrados y, así, sus planes malogrados. Pronto, Alemania se percató de que los mensajes de la «Enigma» estaban siendo descodificados y cambiaba la clave cada día. Pero la máquina tenía un error de fabricación a partir del cual los aliados siguieron descifrando mensajes sin dificultad, y es que sabían que una letra no podía ser codificada como ella misma, es decir, que una M nunca aparecería como M, ni una E como E, etc. Este detalle suprimía infinidad de posibilidades y fue el que hizo posible que el matemático Alan Turing creara un mecanismo capaz de descifrar la clave de cada día en menos de una hora. Este nuevo mecanismo se llamó «Colossus» y fue el primer ordenador capaz de hacer operaciones matemáticas a gran velocidad.

Naturalmente resultaría muy difícil que pudieras construirte tu propia máquina «Enigma» o «Colossus», pero puedes aprender una buena lección: si quieres que tus mensajes secretos sean de verdad completamente secretos, prueba a cambiar la clave cada día, no uses siempre el mismo sistema ni la misma técnica y así despistarás a todas las personas indiscretas. Eso sí, tus contactos deben estar al corriente de los cambios de clave, porque si no, te quedarás aislado.

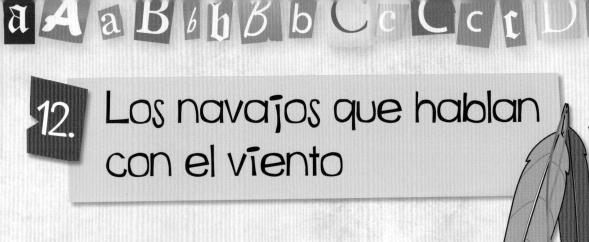

12. Los navajos que hablan con el viento

El pueblo navajo era originario del sur de Estados Unidos, vivía en grupos distribuidos por Arizona y parte de México y era descendiente de los indios apaches.

Cuando el hombre blanco llegó a América, los navajos, al igual que muchos otros indígenas, fueron encerrados en reservas sin poder ejercer sus formas de vida ancestrales, como la caza o la ganadería y agricultura, a merced de la necesidad, la pobreza, las enfermedades y el aislamiento. Pero los indios navajos son un hito en la historia moderna de Norteamérica porque prestaron un servicio a su país que jamás será olvidado.

Durante la Segunda Guerra Mundial, cuando Estados Unidos luchaba contra Japón, necesitaban un código secreto para poder enviar órdenes y mensajes a las tropas, pero los japoneses eran especialistas en descodificar claves. Un hombre llamado Philip Johnston propuso que la lengua de los indios navajos se utilizase como base para un nuevo código. Este hombre era hijo de misioneros y se había criado en una reserva de navajos, por lo que dominaba su cultura y sabía que el navajo era una lengua que presentaba unas dificultades sonoras extraordinarias. No solo era un idioma del que no existía ningún texto escrito, por lo que era casi desconocido para

aquellos que no fueran navajos, sino que además su complicada sintaxis y su fonética casi imposible lo hacían prácticamente indescifrable, ya que la misma palabra en navajo podía significar cosas diferentes con solo darle una entonación distinta.

Unos 420 indios navajos fabricaron un código usando palabras de su lengua nativa y también algunas otras en sentido figurado. Por ejemplo, a los aviones bombarderos los llamaban *gini* (halcones) y los tanques eran *chaydagahi* (tortugas). Los americanos enviaron al frente a estos navajos que, en cuestión de segundos, podían transmitir por radio a otro indio navajo y después traducirlo al inglés. Era un sistema muy rápido y seguro: los japoneses jamás pudieron descifrarlo porque nunca pensaron que en lugar de escuchar una clave estaban oyendo una lengua viva.

A los indios navajos que colaboraron con el servicio de espionaje americano se les llamó *codetalkers*, los que hablan el código, o *windtalkers*, aquellos que hablan con el viento. Cuando terminó la guerra, los navajos fueron devueltos a su reserva con la promesa de no desvelar sus funciones durante la guerra ni, por supuesto, el código secreto, por si el ejército americano los volvía a necesitar. Así ocurrió y el código navajo volvió a usarse en las guerras de Corea y de Vietnam, permaneciendo en secreto. Cuando años después por fin salió a la luz la valiente actuación de los indios navajos, los supervivientes fueron reconocidos y condecorados como héroes.

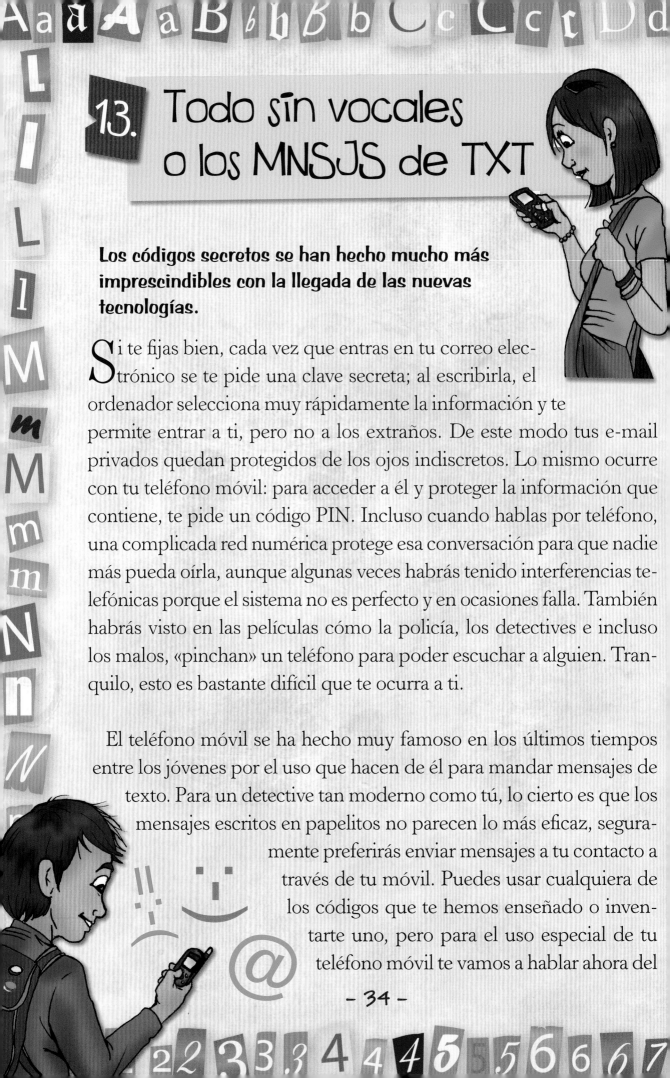

13. Todo sin vocales o los MNSJS de TXT

Los códigos secretos se han hecho mucho más imprescindibles con la llegada de las nuevas tecnologías.

Si te fijas bien, cada vez que entras en tu correo electrónico se te pide una clave secreta; al escribirla, el ordenador selecciona muy rápidamente la información y te permite entrar a ti, pero no a los extraños. De este modo tus e-mail privados quedan protegidos de los ojos indiscretos. Lo mismo ocurre con tu teléfono móvil: para acceder a él y proteger la información que contiene, te pide un código PIN. Incluso cuando hablas por teléfono, una complicada red numérica protege esa conversación para que nadie más pueda oírla, aunque algunas veces habrás tenido interferencias telefónicas porque el sistema no es perfecto y en ocasiones falla. También habrás visto en las películas cómo la policía, los detectives e incluso los malos, «pinchan» un teléfono para poder escuchar a alguien. Tranquilo, esto es bastante difícil que te ocurra a ti.

El teléfono móvil se ha hecho muy famoso en los últimos tiempos entre los jóvenes por el uso que hacen de él para mandar mensajes de texto. Para un detective tan moderno como tú, lo cierto es que los mensajes escritos en papelitos no parecen lo más eficaz, seguramente preferirás enviar mensajes a tu contacto a través de tu móvil. Puedes usar cualquiera de los códigos que te hemos enseñado o inventarte uno, pero para el uso especial de tu teléfono móvil te vamos a hablar ahora del código más usado en los mensajes de texto. Se trata de escribir mensajes teniendo en cuenta las normas que te mostramos a continuación. Ten en cuenta que todos los mensajes se pueden complementar con los símbolos o iconos llamados «emoticones». Se trata de pequeños dibujos que se pueden hacer con elementos como paréntesis, dos puntos, etc., que expresan emociones sin tener que escribirlas; por ejemplo «:-o» es, si lo miras como si los dos puntos fueran los ojos, el

Normas del lenguaje de los móviles

- Prácticamente todas las vocales (A, E, I, O, U) desaparecen, de manera que, por ejemplo, la palabra TEXTO, se escribiría TXT.

- La H desaparece.

- Los acentos también desaparecen.

- La V desaparece y todo lo que suena como ella se escribe con B.

- La LL pasa a ser Y.

- El sonido CA pasa a escribirse siempre K.

- La palabra MÁS pasa a ser +.

- Los signos de interrogación y exclamación se ponen solo al final.

- Los números sirven para formar palabras más cortas, por ejemplo: DE2 (en vez de DEDOS).

- La palabra QUE se escribe en la pantalla como Q.

- La palabra POR pasa a ser una X.

- La palabra PARA se escribe así: XA.

guión es la nariz y la O, la boca, una cara de sorpresa que puede querer decir eso: «¡sorprendente!». Algunos móviles tienen la opción de meter los «emoticones» ya hechos, sin tener que usar puntos, guiones, paréntesis, etc. De esta forma, con solo pulsar una tecla obtenemos: ☺, ☹, etc.

Te adjuntamos un diccionario básico para que puedas escribir mensajes de texto que resulten completamente secretos a los ojos de tus padres y otros mayores:

Diccionario de mnsj de txt

Adiós: a2
Alucino: @-@
Amigo: amgo/amiga: amga/amigos: amgs
Aprobar: aprbr
Bastante: bstnt
Bien: bn
Café: kf
Callarse: :-▯
Casa: ks
Con: cn
Con gafas: 8-)
Contento: :-)
De: d
Dejar: djr
Divertido: :-D
Dibujo: dbjo
Donde: dnd
El: l
Elegante: :-)8
Ellos: eys
En: n

Enfadado: >:-(
Enfadarse: nfdrs
Entre: ntr
Estar: str
Esto: sto
Examen: ex
Fenomenal: fnmnl
Fin de semana: finde
Fútbol: ftbl
Genial: gnl
Habitación: hab
Hacer: hcr
Hermano: hrmno/ hermana: hrmna
Historia: hst
Hola: hla
Libro: lbro
Llámame: ymam
Siento: snto
Más: +
Menos: -
Mensaje: mnsj
Móvil: mvl
No entiendo: ?:-(

Nota: nta
Otro: otr
Pasar: psr
Pequeño: pkñ
Pero: pro
Poner: pnr
Poner los pelos de punta: =:-(
Por: x
Por favor: x fa
Porque: xq
Que: q
¿Qué tal?: q tl?
Quedar: qdr
Resfriado: :x(
Rollo: rll
Siguiente: sgnt
Sobre: sbr
Sorpresa: :-o
Suspender: sspndr
También: tb
Te echo de menos: t echo d –
Triste: :-(

Tienes un mensaje

**Te ha llegado este mensaje al móvil.
¿Crees que eres capaz de descifrarlo?**

sty :-(xq tngo 1
sspns n mates.
Ste finde slg +trd

¿Sabías que...

Este pequeño aparato, que ha revolucionado el mundo de las telecomunicaciones, tiene múltiples virtudes. Por ejemplo, muchas personas se han salvado de alguna catástrofe avisando con un móvil. Pero quizá lo más curioso que se ha hecho con estos teléfonos sea un concierto con más de 200 móviles (y sus correspondientes melodías) que tuvo lugar en Austria hace algunos años.

Solución:

_____

_____

SOLUCIÓN: Estoy triste porque tengo un suspenso en matemáticas. Este fin de semana salgo más tarde.

¿Y este otro?

ymam, nph
ns vms mñn, qt1bd

Solución:

_____

_____

SOLUCIÓN: Llámame, no puedo hablar. Nos vemos mañana, que tengas un buen día.

14. Métodos criptográficos
usados por los «scouts»

1. El sistema PARELINOFU

Los «scouts» aman la vida al aire libre y siempre están buscando aventuras.

Ellos han inventado multitud de sistemas para escribir mensajes secretos que nadie pueda entender de un modo rápido y seguro. Así, los jefes de grupo se ponen en contacto con sus muchachos y todos pueden coordinarse cuando hacen juegos al aire libre. Uno de los métodos más utilizados es el de la palabra inventada PARELINOFU. Esta palabra se separa en sílabas: PA RE LI NO FU y luego a cada sílaba se le da la vuelta: la PA pasa a ser AP, la RE pasa a ER y así sucesivamente, de manera que la palabra termina quedando así: APERILONUF. Ahora se trata de hacer una tabla de equivalencias como esta:

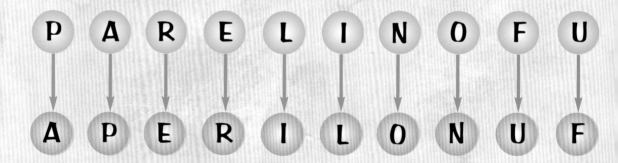

De modo que las letras se corresponden entre sí tal y como se indica. A partir de aquí, cualquier palabra que se quiera se puede pasar a este código: cuando aparezca una letra que forme parte de la palabra PARELINOFU, se cambiará por la que corresponda en APERILONUF, mientras que las letras que no se contengan en esta palabra se escribirán exactamente igual. Por ejemplo, la palabra BOY SCOUT se escribiría: BNY SCNFT.

Muy parecido al sistema PARELINOFU es el de DAME TU PICO. Se trata también de escribir la frase del derecho y después del revés y hacer coincidir las letras que corresponden para usarlas como clave. Esta es la tabla de equivalencias:

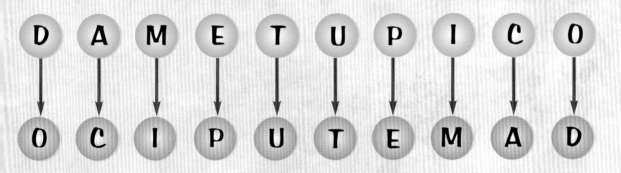

Así por ejemplo, BOY SCOUT se escribiría: **BDY SADTU**

Mensaje «PARELINOFU»

Según este sistema, intenta descodificar este mensaje:

> TFRECR RI AELMRE
> PEBNI P IP DRERCHPY
> IIRGPEPS P IP GEFTP DR
> IPS MPEPVLIIPS

Solución:

_____

_____

SOLUCIÓN: Tuerce el primer árbol a la derecha y llegarás a la gruta de las maravillas.

2. El sistema corredizo

Se trata de reemplazar una letra del alfabeto por otra que se encuentre uno, dos, tres, etc., lugares más allá de la primera en el orden alfabético.

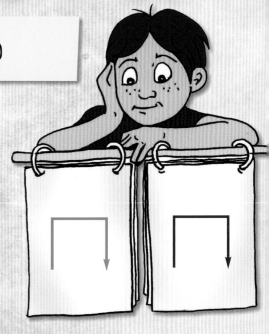

De este modo, una corrediza 1, sería así:

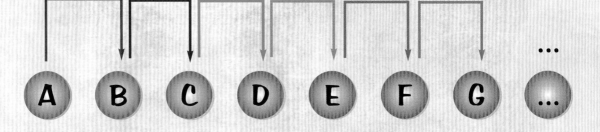

… de manera que la A se cambiaría por B, la B por C, la C por D, etc. De la misma forma, una corrediza 2, sería:

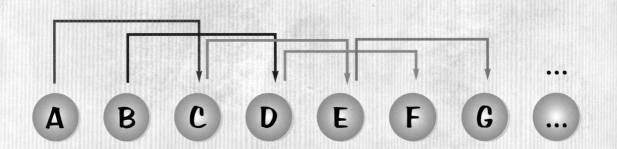

Y así sucesivamente. Sin embargo, debes tener en cuenta que hay que tomar la precaución de que la persona que va a recibir el mensaje sepa qué clave tiene que usar: corrediza 1, corrediza 2…

3. El caracol o espiral

Se trata de escribir un mensaje de forma que pueda leerse en espiral.

Puede ser tan largo como queramos, pero siempre hay que especificar cuál es la primera letra para saber por dónde se debe empezar a leer (se puede marcar subrayándola, como hemos hecho en nuestro ejemplo), y hay que saber que siempre se debe leer siguiendo la dirección de las agujas del reloj. Por ejemplo:

R	D	A	R	M	E	...
O	E	C	U	Y	O	N
C	D	G	A	R	D	O
A	A	U	E	N	E	M
O	H	L	N	U	L	B
R	C	N	A	M	A	R
E	I	U	Q	O	N	E

SOLUCIÓN: En un lugar de La Mancha de cuyo nombre no quiero acordarme...

Es un sistema muy divertido y bastante confuso para el que no conoce la clave y además es bastante fácil de escribir y de descifrar en cualquier lugar.

¿Sabías que...

El movimiento «scout» surgió a principios del siglo XX de la mano de Robert Stephenson Smyth Baden-Powell, un militar inglés. Publicó varios libros y creó los primeros grupos de muchachos educados en los valores de la acción en la naturaleza. Sus enseñanzas son afines al cifrado y descifrado de mensajes secretos, técnicas que conoció seguramente en sus actividades de guerra dentro del ejército.

4. El sistema de la clave musical

¡No hace falta saber solfeo para aprender este método!

Para usar este sistema, simplemente debes aprenderte de memoria el esquema que aparece a continuación. De este modo, cualquier mensaje puede trasladarse a una clave musical. Si tu contacto conoce la clave, podrá leerlo fácilmente.

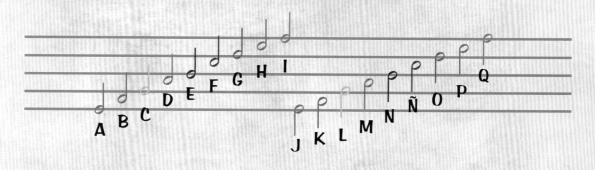

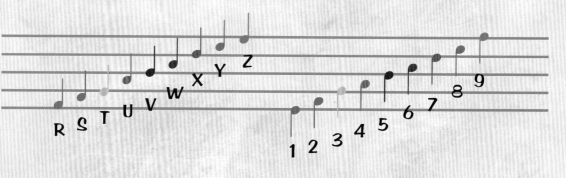

¿Sabías que…

La notación musical es el empleo de figuras que, de acuerdo con su forma, indican la duración de un sonido y, de acuerdo con su posición, lo definen según si es grave o agudo, diferenciándose entre sí por la cantidad de vibraciones por segundo generadas. En este caso, la forma y la posición identifican una letra determinada.

5. El sistema murciélago

Se trata también de reemplazar letras, pero en esta ocasión por números.

El esquema a seguir se basaría en el que aparece a continuación. Las letras de la palabra murciélago se corresponden con los números:

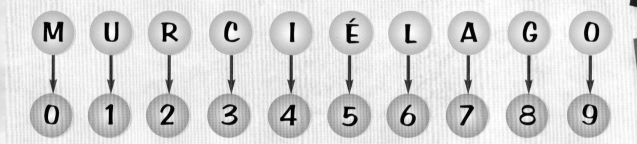

El resto de las letras que puedan aparecer se escriben tal cual. Por ejemplo, las palabras MENSAJE SECRETO se escribirían: 05NS7J5 S5325T9. Ahora prueba tú descifrando el siguiente mensaje:

S4 5ST7S 5N
P564829 S46B7
D9S V535S

SOLUCIÓN: Si estás en peligro, silba dos veces.

Otro sistema es el AGUJERITO, en el que también se sustituyen letras por números. Como es habitual, si aparece en el mensaje alguna letra que no salga en la palabra AGUJERITO, se escribe tal cual:

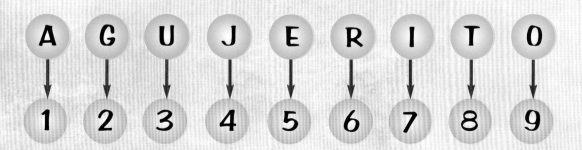

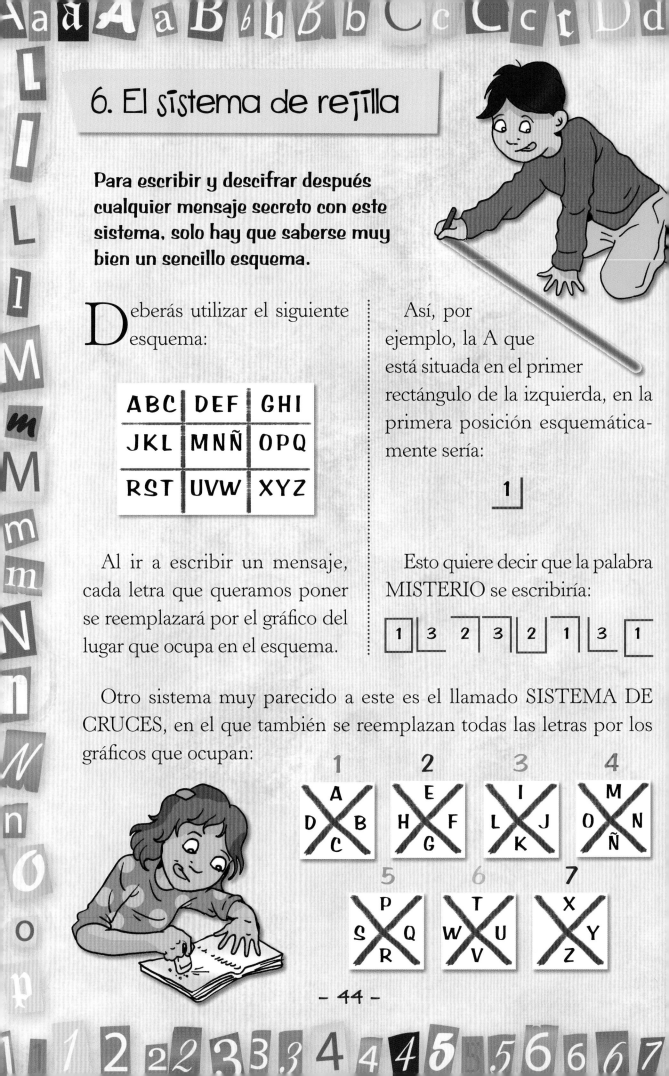

6. El sistema de rejilla

Para escribir y descifrar después cualquier mensaje secreto con este sistema, solo hay que saberse muy bien un sencillo esquema.

Deberás utilizar el siguiente esquema:

ABC	DEF	GHI
JKL	MNÑ	OPQ
RST	UVW	XYZ

Al ir a escribir un mensaje, cada letra que queramos poner se reemplazará por el gráfico del lugar que ocupa en el esquema.

Así, por ejemplo, la A que está situada en el primer rectángulo de la izquierda, en la primera posición esquemáticamente sería:

1

Esto quiere decir que la palabra MISTERIO se escribiría:

1 3 2 3 2 1 3 1

Otro sistema muy parecido a este es el llamado SISTEMA DE CRUCES, en el que también se reemplazan todas las letras por los gráficos que ocupan:

El sistema corredizo

Según este sistema, si usamos una corrediza 5, ¿qué quiere decir este mensaje?

GFÑFRIT UTW PF
HFXHFIF IJP INFGPT
JRHTRYWFWFX JP
JXHTRINYJ IJ PTX
YJQUPFWNTX

Solución:

_____
_____
_____
_____
_____

SOLUCIÓN: Bajando por la cascada del diablo encontrarás el escondite de los templarios.

El caracol o espiral

¿Qué pone?

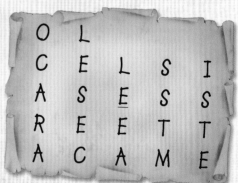

O	L		
C	E	L	S	I
A	S	E	S	I
R	E	E	T	S
A	C	A	M	E

Solución:

_____
_____
_____

SOLUCIÓN: Este es el sistema caracol.

El sistema de clave musical

¿Qué quiere decir este mensaje?

Solución:

El sistema murciélago

Emplea el sistema murciélago para descifrar este mensaje:

345227 67
V5NT7N7
9 5NT2727N 69S
V70P429S

Solución:

¿Sabías que...

Entre los «scouts» más famosos podemos mencionar a Kennedy, presidente de EE.UU., los actores James Stewart, Richard Gere o el astronauta que fue el primer hombre en poner un pie en la Luna, Neil Amstrong, o el cantante de The Beatles Paul McCartney, entre otros. Además, los «scouts» de todo el mundo tienen un saludo internacional con el que se reconocen entre sí, como muestra la ilustración.

El sistema de rejilla

Descifra ahora este mensaje secreto
encontrado por un escalador en mitad
del Himalaya:

2	2	2	3	2	3	1	1	3	1
2	1	1	3	2	1	2	3	2	2
1	1	2	1	2	1	2	3	1	2
	2	3	2	2	2	2			

Solución:

_____

_____

_____

SOLUCIÓN: He visto al abominable Hombre de las Nieves.

El sistema de cruces

Alguien ha dejado este mensaje en el bosque, descífralo:

6 2 2 1 3 6 1 4 6 5
V V < V > V V < V ∧

2 5 3 3 3 4 4 2 6 5
V > ∧ V ∧ > > V V ∧

4 5 5 1 5 1 1 3 1 1
> V V ∧ V ∧ ∧ > ∧ V

4 7 1 5 3 1 1 3 4 1
< ∧ V ∧ V V V ∧ < V

Solución:

_____

_____

_____

_____

_____

_____

SOLUCIÓN: Te faltan
tres kilómetros para
alcanzar la cima.

- 47 -

15. El cifrado polialfabético

Este sistema de criptografía es realmente complicado, por lo que debes estar muy atento a la explicación.

Se basa en los alfabetos de sustitución como el que utilizó Julio César, que reemplazaba una letra por la que estaba tres posiciones más allá en el orden alfabético, de manera que la A pasaba a ser una D, la B era una E y así sucesivamente según el esquema que recuperamos de las páginas 10 y 11:

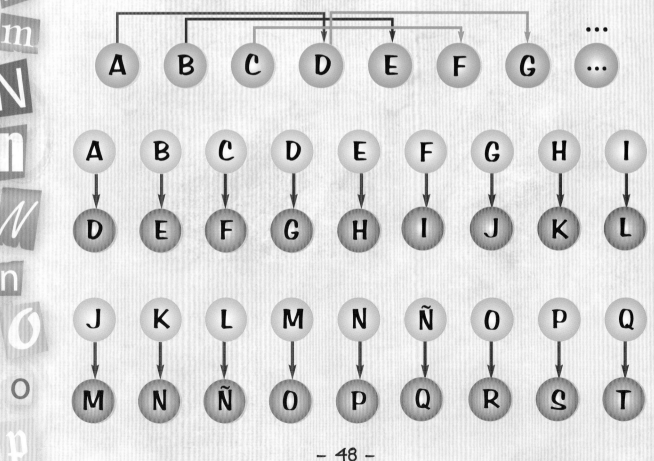

Este método se conoce como cifrado monoalfabético y los cifrados polialfabéticos funcionan con un sistema parecido, pero que complica mucho más las cosas. Para empezar, los cifrados polialfabéticos no utilizan un solo alfabeto de sustitución, sino varios, y, por lo tanto, para descifrarlos se necesita una clave que indique en qué orden se deben usar esos alfabetos. ¿Te has perdido? No te preocupes, te lo vamos a explicar paso a paso. Para ello, vamos a partir de nuestro alfabeto corriente:

Ahora lo vamos a sustituir por otros alfabetos, que pueden respetar el orden natural de las letras, pero comenzando por otra en lugar de la A, o que pueden ser totalmente aleatorios y no respetar ningún orden, simplemente colocando desordenadas las 27 letras. Por ejemplo:

1 Un alfabeto que salta cuatro posiciones con respecto al normal, pero que respeta su orden. Es decir, un alfabeto que comience por E y no por A:

EFGHIJKLMNÑOPQRS
TUVWXYZABCD

2 Un alfabeto que sea justamente al revés que el alfabeto normal:

ZYXWVUTSRQPOÑNML KJIHGFEDCBA

3 Un alfabeto en el que las 27 letras aparezcan en un orden cualquiera inventado:

DFJOEIQXK UPLAGYRMBHÑTVZSCNW

¿Sabías que...

Pasaron varios cientos de años antes de que los métodos apropiados para romper cifrados polialfabéticos de manera fiable fueran encontrados. Para ello, se buscó la repetición de los patrones en el texto cifrado, que proporcionaban pistas sobre la longitud de la clave. Una vez sabido esto, el mensaje se convierte en una serie de mensajes, cada uno con la longitud de la clave.

Ahora hemos creado tres alfabetos diferentes, numerados y muy bien diferenciados. Después, pasamos a quedar de acuerdo con la clave que usaremos. En este caso, el orden elegido de los alfabetos será: 2-3-1. Así que, el cuadro total que necesitamos para escribir un mensaje secreto será el siguiente:

ABCDEFGHIJKLMNÑOPQRSTUVWXYZ

1 EFGHIJKLMNÑOPQRSTUVWXYZABCD

2 ZYXWVUTSRQPOÑNMLKJIHGFEDCBA

3 DFJOEIQXKUPLAGYRMBHÑTVZSCNW

Clave: 2-3-1

Se trata por tanto de sustituir las letras del alfabeto normal (el que está escrito en primer lugar) por las letras de los otros tres alfabetos en el orden indicado en la clave. Por ejemplo, la palabra PELIGRO pasaría a ser KEORQVL: la P en el cuadro correspondiente al 2 es una K, la E en el cuadro correspondiente al 3 es una E también, la L en el cuadro correspondiente al 1 es una O y así sucesivamente repitiendo la combinación 2-3-1 y los correspondientes alfabetos.

La dificultad del cifrado polialfabético es que hay que disponer de los cuadros con los alfabetos y saber la clave, pero tiene la ventaja de ser prácticamente imposible de descubrir y, cuanto más se complique poniendo alfabetos y claves, menos probabilidades tiene de ser descifrado por ojos indiscretos.

ACTIVIDAD

Para que practiques y compruebes lo difícil que es el cifrado polialfabético, intenta descifrar este mensaje según los alfabetos que hemos escrito. Esta vez la clave será 3-2-1.

LZ VEFQKLQ ÑVVD VQ LZ TLZDD

Solución:

SOLUCIÓN: La reunión será en la plaza.

El cifrado Vigenère

Este cifrado polialfabético fue ideado por Vigenère, un francés especialista en criptografía.

La tabla que Vigenère ideó es la que se muestra a continuación. Para escribir con el cifrado de Vigenère se necesita tener la tabla y además una palabra clave. Por ejemplo, escogeremos la palabra TESORO. Imagina que quisieras escribir el mensaje BUSCA EN LA GRUTA DE LOS MURCIÉLAGOS. Ahora es necesario ajustar la palabra clave TESORO al mensaje secreto, como se muestra tras la tabla:

A	B	C	D	E	F	G	H	I	J	K	L	M	N	O	P	Q	R	S	T	U	V	W	X	Y	Z
B	C	D	E	F	G	H	I	J	K	L	M	N	O	P	Q	R	S	T	U	V	W	X	Y	Z	A
C	D	E	F	G	H	I	J	K	L	M	N	O	P	Q	R	S	T	U	V	W	X	Y	Z	A	B
D	E	F	G	H	I	J	K	L	M	N	O	P	Q	R	S	T	U	V	W	X	Y	Z	A	B	C
E	F	G	H	I	J	K	L	M	N	O	P	Q	R	S	T	U	V	W	X	Y	Z	A	B	C	D
F	G	H	I	J	K	L	M	N	O	P	Q	R	S	T	U	V	W	X	Y	Z	A	B	C	D	E
G	H	I	J	K	L	M	N	O	P	Q	R	S	T	U	V	W	X	Y	Z	A	B	C	D	E	F
H	I	J	K	L	M	N	O	P	Q	R	S	T	U	V	W	X	Y	Z	A	B	C	D	E	F	G
I	J	K	L	M	N	O	P	Q	R	S	T	U	V	W	X	Y	Z	A	B	C	D	E	F	G	H
J	K	L	M	N	O	P	Q	R	S	T	U	V	W	X	Y	Z	A	B	C	D	E	F	G	H	I
K	L	M	N	O	P	Q	R	S	T	U	V	W	X	Y	Z	A	B	C	D	E	F	G	H	I	J
L	M	N	O	P	Q	R	S	T	U	V	W	X	Y	Z	A	B	C	D	E	F	G	H	I	J	K
M	N	O	P	Q	R	S	T	U	V	W	X	Y	Z	A	B	C	D	E	F	G	H	I	J	K	L
N	O	P	Q	R	S	T	U	V	W	X	Y	Z	A	B	C	D	E	F	G	H	I	J	K	L	M
O	P	Q	R	S	T	U	V	W	X	Y	Z	A	B	C	D	E	F	G	H	I	J	K	L	M	N
P	Q	R	S	T	U	V	W	X	Y	Z	A	B	C	D	E	F	G	H	I	J	K	L	M	N	O
Q	R	S	T	U	V	W	X	Y	Z	A	B	C	D	E	F	G	H	I	J	K	L	M	N	O	P
R	S	T	U	V	W	X	Y	Z	A	B	C	D	E	F	G	H	I	J	K	L	M	N	O	P	Q
S	T	U	V	W	X	Y	Z	A	B	C	D	E	F	G	H	I	J	K	L	M	N	O	P	Q	R
T	U	V	W	X	Y	Z	A	B	C	D	E	F	G	H	I	J	K	L	M	N	O	P	Q	R	S
U	V	W	X	Y	Z	A	B	C	D	E	F	G	H	I	J	K	L	M	N	O	P	Q	R	S	T
V	W	X	Y	Z	A	B	C	D	E	F	G	H	I	J	K	L	M	N	O	P	Q	R	S	T	U
W	X	Y	Z	A	B	C	D	E	F	G	H	I	J	K	L	M	N	O	P	Q	R	S	T	U	V
X	Y	Z	A	B	C	D	E	F	G	H	I	J	K	L	M	N	O	P	Q	R	S	T	U	V	W
Y	Z	A	B	C	D	E	F	G	H	I	J	K	L	M	N	O	P	Q	R	S	T	U	V	W	X
Z	A	B	C	D	E	F	G	H	I	J	K	L	M	N	O	P	Q	R	S	T	U	V	W	X	Y

B BUSCAENLAGRUTADELOSMURCIÉLAGOS
T TESOROTESOROTESOROTESOROTESORO

Ahora haz uso del cuadro de Vigenère. Toma la primera letra de tu mensaje secreto (la B) y marca en la primera fila toda la columna que sale desde la B, así:

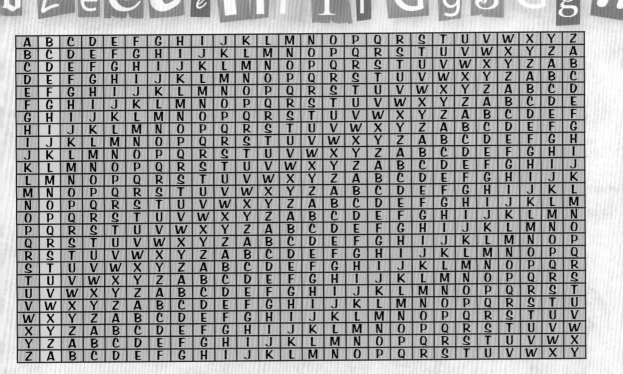

Ahora busca en la primera fila, pero de las verticales, la primera letra de la palabra clave que se corresponde con la B, y que es la T, y traza también una línea horizontal a lo largo de toda la columna, así:

A	B	C	D	E	F	G	H	I	J	K	L	M	N	O	P	Q	R	S	T	U	V	W	X	Y	Z
B	C	D	E	F	G	H	I	J	K	L	M	N	O	P	Q	R	S	T	U	V	W	X	Y	Z	A
C	D	E	F	G	H	I	J	K	L	M	N	O	P	Q	R	S	T	U	V	W	X	Y	Z	A	B
D	E	F	G	H	I	J	K	L	M	N	O	P	Q	R	S	T	U	V	W	X	Y	Z	A	B	C
E	F	G	H	I	J	K	L	M	N	O	P	Q	R	S	T	U	V	W	X	Y	Z	A	B	C	D
F	G	H	I	J	K	L	M	N	O	P	Q	R	S	T	U	V	W	X	Y	Z	A	B	C	D	E
G	H	I	J	K	L	M	N	O	P	Q	R	S	T	U	V	W	X	Y	Z	A	B	C	D	E	F
H	I	J	K	L	M	N	O	P	Q	R	S	T	U	V	W	X	Y	Z	A	B	C	D	E	F	G
I	J	K	L	M	N	O	P	Q	R	S	T	U	V	W	X	Y	Z	A	B	C	D	E	F	G	H
J	K	L	M	N	O	P	Q	R	S	T	U	V	W	X	Y	Z	A	B	C	D	E	F	G	H	I
K	L	M	N	O	P	Q	R	S	T	U	V	W	X	Y	Z	A	B	C	D	E	F	G	H	I	J
L	M	N	O	P	Q	R	S	T	U	V	W	X	Y	Z	A	B	C	D	E	F	G	H	I	J	K
M	N	O	P	Q	R	S	T	U	V	W	X	Y	Z	A	B	C	D	E	F	G	H	I	J	K	L
N	O	P	Q	R	S	T	U	V	W	X	Y	Z	A	B	C	D	E	F	G	H	I	J	K	L	M
O	P	Q	R	S	T	U	V	W	X	Y	Z	A	B	C	D	E	F	G	H	I	J	K	L	M	N
P	Q	R	S	T	U	V	W	X	Y	Z	A	B	C	D	E	F	G	H	I	J	K	L	M	N	O
Q	R	S	T	U	V	W	X	Y	Z	A	B	C	D	E	F	G	H	I	J	K	L	M	N	O	P
R	S	T	U	V	W	X	Y	Z	A	B	C	D	E	F	G	H	I	J	K	L	M	N	O	P	Q
S	T	U	V	W	X	Y	Z	A	B	C	D	E	F	G	H	I	J	K	L	M	N	O	P	Q	R
T	U	V	W	X	Y	Z	A	B	C	D	E	F	G	H	I	J	K	L	M	N	O	P	Q	R	S
U	V	W	X	Y	Z	A	B	C	D	E	F	G	H	I	J	K	L	M	N	O	P	Q	R	S	T
V	W	X	Y	Z	A	B	C	D	E	F	G	H	I	J	K	L	M	N	O	P	Q	R	S	T	U
W	X	Y	Z	A	B	C	D	E	F	G	H	I	J	K	L	M	N	O	P	Q	R	S	T	U	V
X	Y	Z	A	B	C	D	E	F	G	H	I	J	K	L	M	N	O	P	Q	R	S	T	U	V	W
Y	Z	A	B	C	D	E	F	G	H	I	J	K	L	M	N	O	P	Q	R	S	T	U	V	W	X
Z	A	B	C	D	E	F	G	H	I	J	K	L	M	N	O	P	Q	R	S	T	U	V	W	X	Y

La letra que queda en la intersección (la U) será la que le corresponda al mensaje secreto. Haciendo la misma operación letra a letra, el mensaje quedaría así:

UYKQR SG PS
UIIME VS CCL
QMFTWXPSUFG

17. Cifrados por transposición

Este sistema de encriptación se basa en cambiar de posición las letras del mensaje que se quiere cifrar conforme a algún esquema.

Por ejemplo, imagina que quieres cifrar el siguiente mensaje: **EL MA-NUSCRITO ESTÁ EN MI ARMARIO.** Es una frase de 27 letras. Si numeramos las letras, quedará de la siguiente manera:

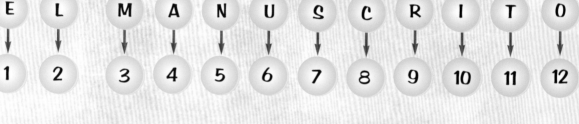

E	L	M	A	N	U	S	C	R	I	T	O
1	2	3	4	5	6	7	8	9	10	11	12

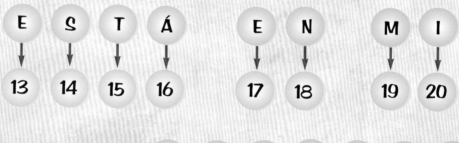

E	S	T	Á		E	N		M	I
13	14	15	16		17	18		19	20

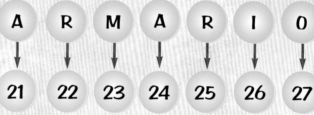

A	R	M	A	R	I	O
21	22	23	24	25	26	27

Ahora cambiemos de orden las letras, de manera que la letra 1 sea, por ejemplo, la letra 11; o la 2 sea la 5… Es decir, cambios de orden de forma aleatoria, como quieras, pero, eso sí, es necesario que escribas la clave y que tanto tú

como el contacto que reciba el mensaje tengáis una copia. En este caso, vamos a aplicar otra tabla que indique en la primera fila el orden numérico real y en la segunda, el orden numérico que aplicaremos para cifrar el mensaje:

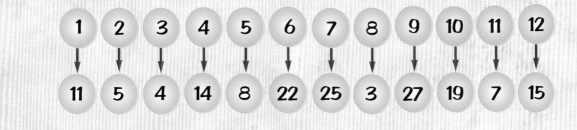

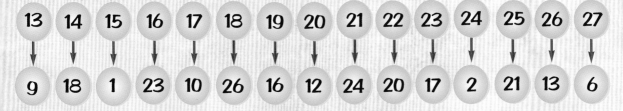

De manera que la letra que ocupaba la posición 1 (la E) ahora pasará a ocupar la posición 11; la letra que estaba en la posición 2 (la L) ahora estará en quinto lugar y así sucesivamente hasta completar el esquema. El mensaje secreto quedaría así:

TACMLOTNEEEIIAOMMSIRRUAASNR

¿Sabías que...

Los períodos históricos más propensos a la utilización de códigos secretos son las guerras y campañas militares. Durante la Segunda Guerra Mundial, por ejemplo, se usó una máquina llamada «Hagelin C-48» construida con seis discos unidos en el centro que podían moverse y hacer coincidir distintos alfabetos por medio de pestañas, usando así diversos cifrados por transposición.

18. La transposición de fílas

Es un método derivado del anterior y resulta muy divertido.

Supón que eres un aventurero y que has entrado en la cueva del tesoro, pero los malos, que andaban pisándote los talones, te han encerrado y necesitas hacer llegar un mensaje (por medio de una paloma mensajera) diciendo dónde estás para que así puedan venir a rescatarte. Quieres enviar este mensaje:

> VEN A BUSCARME
> A LA CAVERNA
> DE LA CALAVERA

Ahora escribamos el mensaje en columnas, como muestra la tabla:

1	2	3	4	5	6	7
V	E	N	A	B	U	S
C	A	R	M	E	A	L
A	C	A	V	E	R	N
A	D	E	L	A	C	A
L	A	V	E	R	A	

La clave que usaremos será: 3-4-5-1-7-6-2, refiriéndonos a los números de columnas y el orden en que las escribiremos. Así, primero escribiremos la columna número 3: NRAEV; después la número 4: AMVLE, etc. El mensaje cifrado quedaría de la siguiente manera:

> NRAEV AMVLE
> BEEAR VCAAL
> SLNA UARCA
> EACDA

Si la persona que lo recibe tiene la clave, le será muy fácil descifrarlo, por lo tanto también tienes que tomar la precaución de usar las mismas claves y cuadros que tu contacto.

19. El sistema internacional de iniciales

Cuando el uso de la radio se popularizó, se pensó en cómo solucionar los problemas de sonido que creaban confusiones en la transmisión de mensajes.

Para evitar los problemas a la hora de deletrear palabras, se inventó un sistema internacional de iniciales utilizando palabras que son universalmente conocidas y que se escriben con las mismas letras en casi todos los idiomas. Este es el sistema internacional de iniciales que siguen usando la policía de Nueva York, la RAF inglesa, las Fuerzas Aéreas Chinas, etc.

De manera que, por ejemplo, si se desea deletrear la palabra PELIGRO, por radio se irán diciendo las palabras del sistema internacional que tengan cada una de esas iniciales, así:

PAPA ECO LIMA INDIA GOLF ROMEO ÓSCAR

A: Alfa
B: Bravo
C: *Charlie* (Carlos)
D: Delta
E: Eco
F: Foxtrot
G: Golf
H: Hotel
I: India
J: Julia
K: Kilo
L: Lima
M: *Mike* (Miguel)
N: Noviembre

O: Óscar
P: Papa
Q: Quebec
R: Romeo
S: Sierra
T: Tango
U: Uniforme
V: Víctor
W: *Whisky*
X: *X-Ray* (Rayos X)
Y: Yanqui
Z: Zulú

Como ves, si no conoces el sistema, el mensaje parece algo confuso, como si estuviera escrito en clave. Naturalmente, puedes inventar tu propio sistema de iniciales con palabras que te resulten divertidas o sencillamente escribir mensajes secretos usando la primera letra de cada palabra.

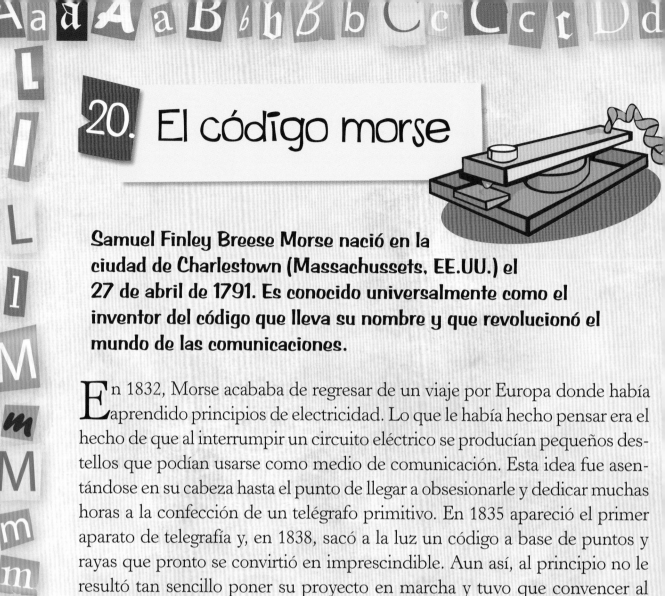

20. El código morse

Samuel Finley Breese Morse nació en la ciudad de Charlestown (Massachussets, EE.UU.) el 27 de abril de 1791. Es conocido universalmente como el inventor del código que lleva su nombre y que revolucionó el mundo de las comunicaciones.

En 1832, Morse acababa de regresar de un viaje por Europa donde había aprendido principios de electricidad. Lo que le había hecho pensar era el hecho de que al interrumpir un circuito eléctrico se producían pequeños destellos que podían usarse como medio de comunicación. Esta idea fue asentándose en su cabeza hasta el punto de llegar a obsesionarle y dedicar muchas horas a la confección de un telégrafo primitivo. En 1835 apareció el primer aparato de telegrafía y, en 1838, sacó a la luz un código a base de puntos y rayas que pronto se convirtió en imprescindible. Aun así, al principio no le resultó tan sencillo poner su proyecto en marcha y tuvo que convencer al Congreso de los Estados Unidos de América para obtener el permiso y la financiación para construir una línea de telégrafo de 60 km, desde Baltimore hasta Boston. El día 24 de mayo de 1844 se telegrafió el primer mensaje en morse; su creador envió este mensaje: «¿Qué nos ha enviado Dios?».

Lo cierto es que Morse tuvo que luchar judicialmente durante muchos años por la patente exclusiva de su invento, que se hizo tan popular que aparecieron miles de copias por todo el mundo; aunque, eso sí, se hizo muy famoso y también muy rico. Murió en Nueva York el 2 de abril de 1872.

Aunque hoy en día el código morse se utiliza bastante poco dada la gran evolución de los sistemas modernos de comunicación, durante mucho tiempo fue un método imprescindible y muy práctico. En realidad, el hecho de que se use y se conozca poco es mejor para ti porque si decides usarlo para tus mensajes secretos, pocas personas lo comprenderán. El código se basa en la representación de cada letra del alfabeto con líneas y puntos que pueden escribirse o corresponderse a luces o sonidos más o menos largos o de mayor o menor intensidad. Esto quiere decir que puedes escribir un mensaje con puntos y letras, pero también que puedes comunicarte con alguien usando una linterna o un silbato. Son famosos, por ejemplo, los casos de náufragos o personas perdidas que consiguieron salvarse enviando una señal luminosa con un espejo a un barco o un avión pidiendo socorro con el código morse. Este es el famoso código:

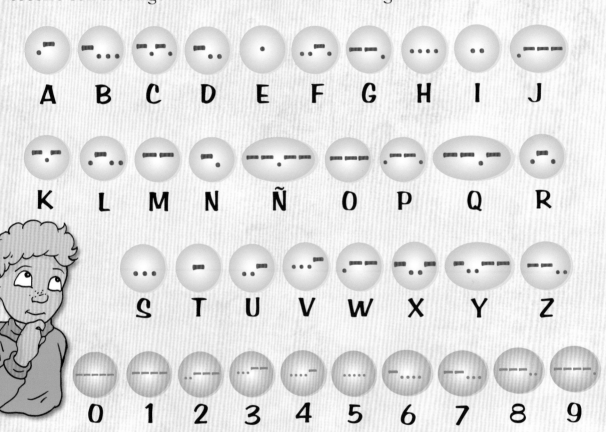

ACTIVIDAD

Según el código morse, intenta descifrar el siguiente mensaje:

.... . -- --- ...
-. .- ..-. .-. .- --. .- -.. ---
-... .- .--. .-. --- ...

Solución:

Contenido

© 2013, Editorial LIBSA
C/ San Rafael, 4
28108 Alcobendas (Madrid)
Tel.: (34) 91 657 25 80
Fax: (34) 91 657 25 83
e-mail: libsa@libsa.es
www.libsa.es

Colaboración en textos: María Mañeru
Ilustración: Jorge de Juan
Edición y maquetación: Equipo editorial LIBSA

ISBN: 978-84-662-2584-7